La danseuse et le prince

L’auteur

Née à Rabat, au Maroc, **Anne-Marie Pol** a eu une enfance et une adolescence voyageuses. Cette vie nomade l’a empêchée d’accomplir son rêve : être ballerine. Elle a vécu en Espagne où elle a travaillé comme mannequin pendant une dizaine d’années. En 1980, de retour à Paris, après des études théâtrales à la Sorbonne, elle se décide à réaliser un autre grand rêve : écrire. Son premier roman paraît en 1986. Depuis, elle a écrit de nombreux livres, dont certains sont maintenant traduits en plusieurs langues. Ses ouvrages sont publiés chez Bayard Éditions, Mango, Flammarion, Hachette, Grasset.

Vous êtes nombreux à nous écrire
et vous aimez les livres de la série

Danse!

Adressez votre courrier à :
Pocket Jeunesse, 12 avenue d’Italie, 75013 Paris.
Nous transmettrons vos lettres à l’auteur
qui vous répondra.

Anne-Marie Pol

La danseuse et le prince

Nous remercions Patricia Stanlowa, Directrice de l'Institut International Janine Stanlowa, d'avoir bien voulu, à la suite de sa mère, nous prêter les costumes de scène qui apparaissent sur les couvertures de la série *Danse !*

Une fois encore, je remercie Michaël Denard, étoile de l'Opéra de Paris, d'avoir accepté avec une grande générosité d'accompagner Nina dans cette nouvelle aventure...

Loi n° 49 956 du 16 juillet 1949 sur les publications destinées à la jeunesse : février 2007.

ISBN 978-2-266-16927-1

Tu danses,
tu as dansé,
tu rêves de danser...
Rejoins vite Nina et ses amis.
Et partage avec eux
la passion de la danse...

Il ne me suffit pas de plaire aux yeux,
je veux intéresser le cœur.

Jean Dauberval,
danseur et chorégraphe français (1742-1806)

Pour Christian Mesnier, de l'Opéra de Paris

Résumé de DANSE ! n° 35

La Danse ou la vie ?

Le « mystère de la bouteille empoisonnée » a bel et bien empoisonné la vie de Nina, tracassée par une ribambelle de "?".

Pourquoi s'est-elle endormie bizarrement, juste avant l'enregistrement de la cassette destinée à la Direction de l'École de Danse de l'Opéra ? Était-ce la fatigue, comme l'imagine sa famille, ou bien un sale coup de Zita Gardel ? Afin d'empêcher la jeune fille de danser, la Vip' aurait-elle versé un somnifère dans la fameuse bouteille ? Victoria Rambert l'affirme, mais elle déteste Zita. Alors, info ou intox ? La question se pose. Et Garance Legat y répond à sa façon. « Tu as eu un coup de pompe, et tu t'es endormie — dit-elle à Nina —, voilà l'explication, mais elle te paraît si peu digne de la ballerine de tes rêves que tu refuses d'admettre ta seule et unique responsabilité. »

Nina encaisse cette amère explication et décide d'oublier la trouble affaire de la bouteille, d'autant qu'elle a une terrible peine de cœur : Mo l'a lâchée vraiment. Le « grand couple de la Danse » n'existe plus. Aux dernières nouvelles, le garçon s'afficherait avec Helen Mark, la blonde Anglaise... ! Nina a bien du mal à admettre la défection de son Prince Hip-hop. Et elle est trop triste pour trouver un intérêt quelconque à l'*Old* barbichu, c'est-à-dire à Matt Despréaux, le stagiaire de l'Opéra, qui a l'air de la trouver plutôt canon...

Dans tout ce marasme, un arc-en-ciel ! Émile ne laisse pas tomber sa sœur adoptive : la voilà invitée à passer le week-end chez les Legat. C'est un vrai bonheur de retrouver les souvenirs qui flottent encore rue Gît-le-Cœur et près de l'école Camargo, lorsque Mme Camargo elle-même se manifeste... par lettre ! Elle monte un ballet en Espagne et... oui ! elle compte sur Nina.

Mais...

Olivier Fabbri la laissera-t-il s'envoler vers Madrid ? Aïe ! Ce n'est pas du tout cuit.

Encore une bataille en perspective !

Courage, Nina !

1
Sur un air de rap

Danser...

Danser en Espagne !

Je me suis endormie sur ces mots, réveillée avec eux, et maintenant, je les « tourbillonne » en *piqués* à travers le salon des Legat. Mil' m'accompagne au tam-tam (un carton du Shopi).

Après un petit déjeuner-parlotte, on traîne encore en pyjama à 11 heures.

Oh ! le super-dimanche matin !

Depuis que j'ai lu la lettre de Natividad Camargo, cette nuit, j'ai l'impression de planer sur les ailes du Cygne blanc[1]...

1. Mme Camargo a été célèbre comme interprète d'Odette (le Cygne blanc du *Lac des Cygnes*).

Rien de négatif ne peut m'atteindre !

Mais mon frère adopt' se met à marteler son « tambour » en braillant une espèce de rap (Dan-ser à Ma-drid, ouais-ais, tu y dan-se-ras, Ni-na !), alors, d'un coup, ce rythme me rappelle Mo, notre Danse du Vent, notre Passé perdu, notre amour...

Qui l'est aussi, perdu !

Stoppée en plein tour, je vais m'affaler dans un fauteuil. Émile lâche son carton.

Silence.

La voix de Garance le brouille à l'instant.

— OUF ! s'écrie-t-elle de sa chambre, ça fait du bien quand ça s'arrête, votre truc !

Son fils glapit :

— Tu connais rien à l'Art !

J'éclate de rire — malgré moi.

— Dis donc, Nina, souffle Émile, si tu l'appelais rapido ?

Mon rire se casse net. Je hausse les épaules.

— *Il* va me raccrocher au nez, qu'est-ce que tu crois ?

Le petit Legat lève les yeux au ciel.

— Je ne te parle pas de Mo, andouille...

— Merci !

— ... mais de Mme Camargo ! Dis-lui vite que tu acceptes sa proposition.

Je reste coite. Ébahie et (un peu) vexée. Milou a raison. J'aurais pu y penser plus tôt — au lieu de danser follement. Même si je ne l'ai eue qu'hier soir, la lettre d'Espagne est arrivée chez les Legat depuis plusieurs jours[1]. Bon sang ! Si, découragée par ma non-réponse, la Directrice avait déjà trouvé ma remplaçante... hein ?

Oh ! les sueurs froides ! Un échec me suffit, ça oui !

— D'autant que Papa risque de me refuser sa permission, je gémis.

— Eh ben, tu aviseras à ce moment-là.

Ma parole ! Émile a son air d'adulte-au-regard-déterminé — et il a raison (bis).

1) Je dois gagner du temps.

2) Préparer le terrain.

3) Empêcher Mme Camargo de chercher une autre danseuse.

Une fois qu'elle comptera VRAIMENT sur ma collaboration, mon père sera au pied du

1. Voir le volume n° 35, *La Danse ou la vie ?*

mur. Ça l'obligera à me laisser partir — je crois.

On peut toujours rêver, non ?

D'ailleurs, sans rêve, on n'arrive à rien dans la vie.

Je cours dans ma chambre récupérer la lettre. Son en-tête porte un numéro de téléphone + une adresse e-mail et j'ai l'impression que Camargo n'est plus derrière moi, maison fermée dans la brume du souvenir, mais à portée de main, tout près, sa porte grande ouverte pour que j'y entre à nouveau.

Les joues rouges d'excitation, je reviens dare-dare vers Émile ; il a décroché l'appareil.

— Vas-y, Nina !

Je tapote les touches, avec le cœur serré par le trac. Depuis la fermeture de l'école, je n'ai pas fait grand-chose pour Mme Nati, ma bienfaitrice[1] ; une espèce de honte se mélange à ma joie d'entendre dans trois secondes : « C'est toi, *hijita* ? » J'écoute

1. Voir les volumes 1 et 2, *Nina, graine d'étoile*, et *À moi de choisir*.

s'égrener les sonneries. Quand elles s'interrompent, je chevrote :

— Allô-ô ?

Et, seul, se manifeste un répondeur. Zut !

« *Aquí, la Compañia Camargo.* — récite une voix de femme assez jeune —, *por favor, dejé su mensaje y su teléfono, le llamaremos enseguida* [1]. »

Pas difficile à comprendre, ou à deviner !

— Laisse un message ! m'ordonne Émile.

J'obéis, chevrotant de plus belle :

« Danser pour vous, ce sera magique, Madame Nati ! Je suis trop contente... »

Je donne le numéro du téléphone familial (mon portable basique ne captant pas l'international), j'ajoute « gros bisous », je raccroche, puis je pousse un hurlement :

— Trop bête ! J'ai oublié de laisser mon nom ! Si jamais la directrice me confond avec une autre...

— Ouille ! Tu serais pas un peu parano ? s'enquiert mon frère adopt'.

1. *Ici, la Compagnie Camargo, s'il vous plaît, laissez votre nom et votre téléphone, nous vous rappellerons au plus vite,* en espagnol.

Et on sursaute genre décharge électrique !

— Tu n'as plus qu'à rappeler, Nina, déclare Garance, mais tu le feras de chez toi, d'accord ?

Le sourire mi-figue mi-raisin, elle se tient sur le seuil. On était trop concentrés, Mil' et moi, pour avoir remarqué la présence de sa mère...

Qui va me faire un méga-sermon — je parie.

Bingo !

— Avant de t'engager auprès de Mme Camargo, me précise-t-elle, tu aurais dû demander l'autorisation de ton papa.

Je réponds avec une conviction bien imitée :

— Oh ! il me la donnera !

— N'empêche. Je n'aime pas beaucoup ces coups en douce.

Émile s'insurge :

— Tu n'as rien compris, Mam' !

— Il ne s'agit pas de « coups en douce » ! j'insiste. Ça s'appelle de la stratégie.

Garance ironise :

— Voyons, Nina, tu joues avec les mots.

Je ne réponds pas. Elle me barbe avec ses leçons de morale. Je crève d'envie de danser le ballet Camargo. Donc, je dois me débrouiller pour... ! Mais comment l'expliquer à mon ex-logeuse-mère-d'adoption ? Elle n'a jamais, de sa vie, enfilé une paire de chaussons ! Et, même si son fils est danseur, elle ignore à quoi ressemble le désir de danser...

La pauvre !

J'aurais presque pitié de Garance, soudain. Elle appartient au monde immobile de ceux qui ne dansent pas. C'est triste, non ?

Mieux vaut ne pas tirer sur une ambulance.

Alors, sans ergoter davantage, je file me doucher.

2
Apparition et disparition

Un quart d'heure plus tard, je sors bras dessus bras dessous avec Émile, chargé par sa mère d'acheter le JDD[1] (rite dominical chez les Legat). Ça nous permet de flâner en direction du kiosque...

Retrouver *mon* quartier, quelle dose de vitamines !

— Tu sais, dis-je à mon frère adopt', là-bas, à Neuilly, j'sais pas pourquoi, j'ai moins le moral qu'ici.

Il rigole.

1. Le *Journal du Dimanche.*

— L'air du Bois ne te convient pas, si ça se trouve ?

— À moins que ce ne soit « l'air » de la... famille, je murmure, hésitante, presque gênée.

Se sentir mieux chez les autres que chez ses parents, c'est... anormal. Et l'avouer, ça fait moche. Surtout qu'à la maison j'ai « tout pour être heureuse ». Pourtant, je l'étais beaucoup plus... avant !

Bizarre de chez bizarre.

Par moments, je *me* comprends mal.

Serais-je une fille ingrate... ou bien trop gâtée (comme l'affirme Papa) ? Je n'ose pas poser cette question à Émile, vu que la réponse m'incombe personnellement. À moi de la trouver. À moi de me juger. Si, l'œil rivé au miroir, je le fais déjà dans la danse, je dois pouvoir en être capable dans la vie... non ?

Cela dit, mon examen de conscience attendra : on est arrivés au kiosque ! Accrochés à ses montants ou empilés devant son ouverture, les magazines multicolores (dont les couvertures criardes exhibent pipoles ou stars) me changent illico les idées.

J'adore ces « feuilles de chou » (dixit mon père). Afin de les regarder de plus près, Émile et moi, on bouscule la clientèle agglutinée, lorsque...

— Ça alors !

La première page de *Fiesta* affiche la photo d'un danseur ! Blond, assez mince, il bondit en *grand jeté*, par-dessus ce sous-titre : *Un Prince sur scène !*

— Tu as vu ? je souffle à Mil'. Super-marrant, hein ?

Je n'aurais jamais imaginé qu'un « sang bleu [1] » ferait l'artiste ! Le petit Legat me houspille à mi-voix :

— Ouvre vite, kest'attends ? Qu'on lise l'article !

Pas le temps !

— Ho, les gamins, vitupère le kiosquier, embusqué derrière son comptoir, on touche la marchandise à condition de l'acheter, compris ?

Manque de bol : on a juste 1, 50 euro pour le JDD ! *Fiesta* nous passe sous le

1. Expression désignant quelqu'un d'origine royale.

nez ! Pourtant, j'aurais bien aimé savoir QUI est ce danseur de la « Haute[1] ».

— Un vrai prince, tu parles ! se moque Émile. C'est juste que ce mec est un prince[2] de ballet. Point barre.

— Tu crois ?

— Ouais.

Il éclate de rire.

— Comme si les princes dansaient... ! Tu rêves ou quoi ? Ils ont assez de boulot à conduire des Ferrari !

Là-dessus, une dame aux frisettes grises (qui vient d'acheter une pile de journaux) se retourne :

— Nina !

— Madame Griffon !

Je tombe dans les bras de la « voisine du dessus » des Legat — une vieille connaissance.

1. Pour « Haute Société ».

2. Dans la danse classique, le rôle de prince correspond au rôle de jeune premier du théâtre : beau et élégant, il danse les premiers grands rôles du répertoire. Par exemple, Albrecht de *Giselle*, Siegfried du *Lac des Cygnes*, ou le Prince Désiré (appelé aussi Florimond) de *La Belle au bois dormant*.

— Tu es « chez nous », ma mignonne, et tu n'es pas venue me rendre visite ? me reproche-t-elle aussitôt.

Je me défends.

— Oh ! j'allais monter tout à l'heure... pour caresser Bijou !

Le regard de la retraitée vacille.

— Hélas, il y a trois jours, mon pauvre chien est...

Sa voix s'étrangle. J'ai compris. Drôlement embêtée, je bredouille :

— Excusez-moi, je ne savais pas.

— Moi non plus, murmure Émile.

Alors, encadrant Mme Griffon, nous rentrons à la maison à pas lents, genre cortège funèbre. Tout à coup, j'ai un de ces cafards ! La vie n'arrête pas de bouger. Je l'ai déjà remarqué, mais je n'arrive pas à m'habituer à ses changements. Rien n'est stable dans l'existence, tout est mouvant. La preuve : Bijou est mort... et Mo ne m'aime plus !

Je fonds en larmes.

— Tu es trop gentille, ma poulette... renifle la maîtresse du défunt chien.

Je n'ose pas la détromper. À vrai dire, je ne pleure pas vraiment sur Bijou...

Mil' l'a compris, lui.

— *Il* t'appellera, tu verras, me souffle-t-il.

J'y crois — presque !

À peine revenue chez les Legat, je saute sur mon portable.

Il ne m'aurait pas laissé un message, par hasard ?

Un mot sympa,

Un petit regret,

Une invitation...

Ou, même, carrément, la seule nouvelle valable :

« J'M ke toi » !

Et j'ai l'impression de dévaler tête première l'escalier de mes illusions, en prenant une claque à chaque marche !

Aucun signe de Mo.

Le vide. Le désert. Mo m'a oubliée. Carrément.

— Tu es vraiment nul, je murmure, comme s'il se trouvait devant moi.

À cet instant, Garance m'appelle à pleine voix. Pas le moment d'injurier l'Absent — ou de sangloter ! Je fonce au salon.

— Qu'est-ce qu'il y a ?

— Mme Griffon doit se sentir bien seule, dit-elle, propose-lui donc de déjeuner avec nous.

Et je grimpe direct au quatrième.

Oh ! ça fait du bien d'être *obligée* de penser à *autre chose* qu'à Mo !

*

La voisine m'ouvre.

Je la suis au salon.

Dans son logis flotte encore une odeur sure de vieux chien. Le panier de Bijou est resté à la même place, son os de buffle mordillé traîne sous le buffet, et sa photo encadrée décore un guéridon, auprès d'un bouquet d'anémones...

— Tu vois, il est encore présent, mon toutou, chevrote Mme Griffon.

Ne sachant quoi lui répondre — son chagrin m'égratigne le cœur —, je passe aussitôt à l'invitation. La vieille femme accepte...

— ... À condition d'apporter le dessert ! Une idée adorable !

— Qu'est-ce que tu aimes, Nina ?

— La tarte au citron meringuée... !

— Une danseuse a le droit d'avaler cela ? se moque Mme Griffon.

Je me récrie :

— Une danseuse a le droit de manger des bonnes choses, voyons !

Et je m'apprête à redescendre chez les Legat quand j'aperçois, posé (avec d'autres) sur la table basse, le magazine *Fiesta* où s'étale la photo du « prince danseur »...

Je tends la main :

— Est-ce que je peux... ?

Ben non ! Répercutée par la cage d'escalier, une clameur d'Émile m'arrête en plein élan.

— Ninaaaa, rappliiiique ! braille-t-il du palier. Le téléphooone !

Je pars en courant.

3
Oh ! Les pères... !

Enfin !

Il a réfléchi, compris, réagi... et il m'a téléphoné ! Mais mon portable étant sur messagerie (vu que je me trouvais là-haut), Mo me relance à mon ancienne adresse, après avoir appelé chez mes parents. Il me cherche dans tout Paris, quoi !

Conclusion : il m'aime encore. Ça crève les yeux.

Oh ! Mo, Mo...

Je te pardonne déjà !

Il va me rejoindre sur le quai, au bord de la Seine, à notre endroit secret, je le sais, et... baisers... tendresses... confidences... on va *se retrouver* comme avant. Le « reste » (blondasse comprise) sera oublié pour toujours !

En 10 secondes (ou même moins) j'ai le temps de me faire un film... magnifique ! Je dévale jusqu'au troisième à la vitesse grand V. Hélas, le regard (embarrassé) de mon frère adopt' fait virer mon scénario rose-amour au gris-souci : je devine sur-le-champ QUI se trouve au bout du fil !

D'ailleurs, Mil' me le confirme du bout des lèvres :

— Ton père.

Je reprends mon souffle. Puis, empoignant l'appareil :

— Salut, Papa ! je m'écrie, faussement enjouée. Y a pas de problème, j'espère... ?

— Si.

Une seconde, j'ai le tournis. « Quelque chose » serait-il arrivé à Micha, ou Odile ? Mais mon père me rassure d'un rogue :

— *Ta* Mme Camargo vient de téléphoner...

— Oh ! Super !

— ... et j'ai appris avec plaisir que TU

ACCEPTES DE DANSER À MADRID SANS AVOIR DEMANDÉ MON AVIS !

— Oh ! Ce n'est pas exactement ça ! je proteste.

— D'après moi... oui !

Et — tac-tac-tac — il me mitraille ses ordres :

— Tu-vas-rentrer-tout-de-suite-à-la-maison-pour-t'expliquer.

Sidérée, je balbutie :

— Voyons, Papa...

— N'ergote pas, et rentre !

— ... On n'a pas encore déjeuné et... Mme Griffon est invitée !

— Tant pis.

Clic ! Il raccroche.

Mortifiée, je tâche d'ironiser :

— Ça s'appelle une tempête dans un verre d'eau, hein, Mimilou ?

— N'empêche — déplore-t-il —, tu es obligée d'obéir.

Une triste évidence.

Je glapis :

— Vivement que j'aie dix-huit ans : je serai vieille et libre !

Sur ces mots, je m'abats entre les bras de

mon frère adopt', le seul à me comprendre, au fond.

Intermède lacrymal.

— Pleure pas, me souffle Émile. Tu reviendras ici.

Oui. Peut-être.

En attendant, voilà mon beau dimanche bousillé.

— Allez, Milou — intervient Garance —, accompagne Nina au métro.

Elle est du côté de Papa, ça se voit ! Oh ! la la ! Ils sont pénibles, les parents, avec leur manie de se serrer les coudes !

★

Sur les talons d'Émile (qui, galant, porte mon sac), je dévale l'escalier, la rage au cœur, quand on tombe nez à nez avec Mme Griffon remontant en sens inverse, un paquet conique à la main — le dessert promis.

La pauvre !

Elle s'est mise en frais pour nous et, moi, à cause d'un père bouché de chez bouché, je ne pourrai pas faire honneur aux gâteaux de la voisine...

Trop bête...

Adieu, tarte au citron !

Au passage, je pique une bise sur la joue de Mme Griffon.

— À bientôt.

Elle nous regarde déguerpir avec des yeux ronds.

— Maman vous expliquera ! lui lance Mil'. C'est la faute du père de Nina.

Je grommelle :

— Ne le critique pas.

Manquerait plus que ça — vu le sien ! C'est un « oiseau sur la branche » (EDMS[1]). Pas très fiable, quoi ! Autrement dit, impossible de compter sur lui. Tandis que, moi, je peux compter sur Papa... même si pour m'embêter, il est champion !

★

Avant de m'engouffrer dans la station Saint-Michel, j'attrape mon frère adopt' par le cou :

1. Expression de Mme Suzette, la dame de confiance de l'école Camargo.

— Le week-end prochain, tu viens chez nous, je chuchote, OK ?

— Ça dépendra de mon père...

Émile me colle une bourrade.

— ... Ou alors tu seras peut-être déjà à Madrid, le week-end prochain, Ninoche, hein ?

— Ça dépendra de mon père, je répète comme un perroquet.

On éclate d'un rire... jaune[1]. Mais rire (jaune ou pas) avec mon Mimilou d'amour, ça me fait du bien ! On est dans la même galère, lui et moi.

Et sur une dernière bise, je détale.

Vas-y, Nina, QUAND MÊME[2] !

1. Rire désabusé ou amer.
2. Devise de Nina.

4
Pomme de discorde

J'entre dans l'appartement, claque la porte derrière moi.

— C'est toi, Nina ? demande alors mon père (invisible).

Je lève les yeux au ciel ! Qui ça pourrait être d'autre ? Le Fantôme de l'Opéra[1], ou la Fée Clochette, peut-être ? Sur le point de claironner cette impertinence, je me mords la langue, m'étant souvenue *in extremis* du conseil de ma belle-mère : « Sois diplomate. »

Papa sort de sa chambre.

1. Héros du livre de Gaston Leroux.

Bizarre.

Il paraît moins furieux qu'au téléphone. Même, il fuit mon regard.

— Viens à la cuisine, grommelle-t-il, Odile t'y a laissé de quoi déjeuner...

— Oh ! c'est sympa !

Et je dis « merci, Ode » à la cantonade. Mon père grommelle de plus belle :

— Inutile de crier, elle est sortie avec le bébé.

— Sans toi ? je m'étonne.

Il s'énerve :

— Eh bien oui, sans moi, j'avais à te parler, je te signale !

— Tu pouvais attendre ce soir, j'ose répondre.

— Je sais. Odile me l'a fait remarquer...

Cet aveu (qui a échappé à mon père) me laisse coite.

Ouille ! Ça sent la dispute ! D'habitude, le dimanche, mes parents restent collés genre frères siamois. S'ils se sont séparés, c'est qu'il y a eu du riffifi chez les Fabbri !

À cause de moi ?

Mal à l'aise, je suis Papa à la cuisine avec des pieds de plomb. Sur la table, mon couvert est préparé. Dans une assiette, il y a une cuisse de poulet froid + des chips.

— Tu veux que je réchauffe ton plat au micro-ondes ? propose mon père d'un ton piteux.

Ma parole ! Je m'apprêtais à la bagarre et mon adversaire semble déjà vaincu. Je n'y comprends plus rien. Ou plutôt je comprends que la réaction pro-Nina d'Odile a drôlement contrarié Papa.

— Te dérange pas, je marmonne. J'aime bien manger froid.

Et je m'y mets.

À vrai dire, je n'ai pas faim. Le problème Camargo et l'absence d'Odile me pèsent sur l'estomac ; j'ai du mal à y caser la moindre rondelle de pomme de terre. Je grignote, pourtant. Par politesse envers ma belle-mère qui a préparé cette dînette, petite preuve de sa compréhension.

Ça me donne un brusque élan pour me jeter à l'eau.

— Dis, Papa, je souffle d'une traite, tu lui as dit non carrément, à Mme Camargo ?

Il grommelle :

— Je n'ai pas pu, j'étais sous la douche !

C'est Odile qui a répondu, et m'a transmis... euh... la bonne nouvelle.

OUF ! Tout n'est pas perdu !

Le « Oui » est encore possible.

Avec un rictus crispé (tentative de sourire radieux), je bredouille à Papa :

— Si tu me permettais de partir à Madrid, ce serait un super-cadeau...

— Tu le mérites, à ton avis ? m'allume-t-il. Tu bâcles tes études et tu as raté ton audition, il me semble !

La baffe !

Elle me met les larmes aux yeux. Je bafouille une réponse inaudible.

— La semaine dernière, poursuit mon père, ton rêve était l'entrée à l'École de Danse de l'Opéra et, aujourd'hui, te voilà prête à la conquête de l'Espagne : avec toi, on n'arrête pas le progrès.

ET PAN !

— C'est pour me dire ça — je piaule — que tu m'as saccagé mon dimanche ?

Ignorant ma question, Papa préfère pontifier :

— Tu devrais enfin te fixer un but à ta portée, Nina, je te l'ai déjà expliqué. Dans la vie, mieux vaut ne pas rêver de succès inaccessibles.

J'attrape la balle au bond.

— Là, justement, je rétorque avec nervosité, le succès est AC-CES-SI-BLE, vu que Mme Camargo me l'apporte sur un plateau !

— Tu ne doutes de rien, dis donc !

— Si. Je doute que tu m'aimes.

ET PAN (× 2) ! Chacun son tour. Mon père devient blanc aspirine.

— Comment oses-tu proférer une chose pareille, Bichette ?

— Parce que je le pense.

C'est vrai.

Dernièrement, quelles preuves d'amour me donne-t-il, après tout ? À part me gronder, me réprimander, ou me « secouer les puces » pour un oui pour un non, je ne vois pas !

À cet instant, un pas retentit dans l'entrée.

On appelle « Odile ? » d'une même voix, Papa et moi. Et j'ai l'impression qu'on vient de crier « Au secours ! ».

*

Hélas, ma belle-mère ne se précipite pas vers nous. Accompagnée d'un gazouillis de Micha, on l'entend ouvrir, puis fermer la porte de sa chambre.

Silence.

— Alors, Ode est fâchée pour de bon ? je murmure.

Mon père hoche la tête. Chamboulé par sa chamaillerie avec sa bien-aimée (un événement rarissime), il a une expression de gamin perdu. Une seconde, j'ai envie de lui sauter au cou en l'appelant « Papa chéri », comme avant.

Mais il remarque :

— Ta danse est une pomme de discorde... qui nous pourrit la vie !

Rien que ça ?

Choquée, je le plante là.

5
La plus forte !

Je me réfugie auprès d'Odile.

Installée sur son lit, elle feuillette un magazine, le bébé à côté d'elle. Il tète sa sucette, et est tout prêt à s'endormir.

— Tu veux que j'aille le coucher dans son berceau ? je propose.

— Non.

Ma belle-mère a un sourire un peu triste.

— J'ai besoin de le garder avec moi : il me calme. Tu sais, Ninette, j'ai été très irritée par la dispute avec Olivier.

— C'était ma faute, je chevrote, excuse-moi. Je n'aurais jamais dû ouvrir la lettre et téléphoner illico à Mme Camargo !

Elle acquiesce, puis ajoute :

— Il était cependant inutile de faire tout ce pataquès ! Bon. N'en parlons plus.

Pourtant, comme si nous étions parties pour une longue conversation, elle referme sa revue, et la jette au pied du lit, où je la ramasse.

— CHOUETTE, c'est *Fiesta* !

Je rigole :

— Tu l'as achetée à cause du danseur sur la couverture ?

— Que veux-tu, Ninette, sourit-elle, lorsqu'on a une ballerine dans la famille...

— ... On est intéressé par la Danse !

N'en déplaise à Papa, la danse ne « pourrit pas la vie » d'Odile !

ET PAN (× 3) !

Savourant ma petite revanche, je m'affale sur un siège pour jeter un coup d'œil à *Fiesta*. Vite ! Je cherche la page consacrée au « Prince sur scène »...

— Ça alors ! je m'écrie.

Le « prince danseur » est *vraiment* prince. Avec château, chasse à courre, armoiries et arbre généalogique (aux mille ramifications) qui remonte à Charlemagne, d'après *Fiesta*.

Je suis bluffée.

Par les quartiers de noblesse du prince, et tous ces trucs-là ? Pas du tout. Ce qui me bluffe, c'est le pouvoir de la Danse. Quand elle vous a choisi, on n'a plus qu'à la suivre et, richissime ou sans un sou, danser, danser, danser...

La Danse est la plus forte !

J'en ai la preuve sous les yeux.

★

LE REBELLE DU GOTHA [1]

À seize ans, Pavel Vsevolojski aurait pu couler des jours heureux sous les ors de son palais, mais il a préféré la vie d'artiste. Serait-ce la voix du sang ? Si par son père, le prince Dimitri, il est allié à toute l'aristocratie d'Europe, n'oublions pas que sa mère, l'exquise princesse Graziella, fut autrefois ballerine. Pavel a hérité

1. Le « Gotha » est l'ensemble des personnalités de la haute société.

de ses gènes, semble-t-il, et préfère Le Lac des Cygnes *aux lagons des Bahamas ! La Danse est sa priorité. Et, sans doute, jour après jour, forçant ses muscles face au miroir, le prince danseur se répète-t-il la fière devise des Vsevolojski :*

Age quod agis !
(Ce que tu fais, fais-le à fond !)

★

— Oooooooh ! trop génial ! je soupire.

Au fond, la devise des Vse..., etc., ressemble (un peu) à la mienne, dans le genre énergie ou persévérance ! Je réfléchis à ce point de détail, et je remarque (en même temps) que malgré sa blondeur (je préfère les garçons bruns, on l'a deviné), le prince est super-mignon...

À cet instant, Papa frappe à la porte, passe le nez dans l'entrebâillement, et implore :

— Je peux entrer, les filles ?

— Bien sûr, Olivier, sourit Odile.

Voilà. Leur réconciliation s'amorce.

Même si l'horrible phrase de mon père me vrille encore le cœur, je me sens drôlement soulagée. Si les deux « O » se fâchaient pour de bon, je serais mal !

— Regardez, je chuchote, Micha s'est endormi, je vais l'emporter dans sa chambre, OK ?

Prétexte gros comme une maison ! Il me permet de laisser mes parents tête à tête. Pourvu qu'ils se rabibochent rapido ! La paix revenue, je remettrai le voyage à Madrid sur le tapis...

QUAND MÊME !

★

Une fois mon demi couché (après mille bisous), je détale « chez moi ». Mon objectif ? Téléphoner de toute urgence à Émile.

Je lui trompette :

— Tu sais, c'est un vrai !

— Un vrai... quoi ? demande Mil'.

— UN VRAI PRINCE !

Et j'éclate d'un rire triomphal — cette fois-ci.

6
Entourloupette

Lundi matin.

Je suis nez à nez avec mon père, dans la cuisine où, à 7 h 30, flotte déjà une bonne odeur de pain grillé et de thé chaud. J'ai oublié (mais alors là, complètement) le prince danseur.

1... 2... 3...

C'est parti pour une semaine de travail et de danse !

La routine, alors ? Non.

Il y a (peut-être) une routine dans les boulots dépourvus d'intérêt, mais dans la Danse sûrement pas, sinon, à mon avis, c'est fichu !

La Danse n'aime pas être prise pour une mécanique. Et si le danseur est attentif, elle lui apporte, chaque jour, une nouveauté : un petit progrès, par exemple, ou bien une découverte, énorme ou minuscule, question « placement » du corps, exécution d'un pas, musicalité.

Mais elle offre aussi des cadeaux...

Que va-t-elle me donner, aujourd'hui ?

Si ça pouvait être le « Oui » de Papa au projet Camargo, ça me suffirait (pour l'instant) ! Ce serait, aussi, une réponse de la Danse :

Je t'aime, Nina Fabbri.

Et je m'écrie :

— Ce serait génial, Pap' !

Il sursaute comme si je venais de lui hurler aux oreilles.

— Quoi encore, Bichette ?

— Toujours la même chose !

Mon père lève les yeux au ciel. Moi, j'argumente dans la foulée :

— Puisque tu n'as pas dit non à Mme Camargo, tu peux encore lui dire oui !

— Pourquoi pas ? renchérit Odile.

Elle vient d'entrer, mon petit frère dans les bras. Et même si, à cette heure matinale, la nuit noircit toujours le ciel d'hiver, derrière la fenêtre, le soleil de l'espoir balaie soudain la cuisine[1].

— Il s'agit d'un très beau projet, insiste ma belle-mère.

Je rayonne, mais Papa abat le poing sur la table :

— NON !

Ce fracas affole le bébé. Il pousse le cri-qui-tue : ouiiiiiiiiiiiiin ! Et sa mère l'emporte précipitamment hors de la pièce — après avoir jeté un regard de reproche à Papa. La « pomme de discorde » va... boum !... leur tomber dessus, incessamment, sous peu... !

— Ras-le-bol ! dit-il. Je vais téléphoner sur-le-champ à Mme Camargo pour décliner officiellement sa proposition.

Oh ! non !

Soudain, j'ai l'impression de me noyer.

Mon père rugit :

1. Elle n'est pas jolie, ma phrase ? Plus tard, je serai étoile poétesse, je l'ai déjà dit, et je persiste et signe !

— Ne me regarde pas avec ces yeux de veau...

(De veau ? Merci ! J'aurais dit de biche, moi !)

— ... et va plutôt me chercher LA LETTRE — que tu aurais dû déjà me remettre, je te signale —, l'adresse de *ta* directrice y est indiquée, je suppose, puisque tu l'as appelée de ton côté, hein ?

— Oui-i.

Je me lève lourdement, tandis qu'il vitupère entre ses dents :

— Hier, Odile a négligé de relever son numéro.

Tiens, tiens...

Révélation intéressante !

Puisque Papa ne sait pas où joindre Mme Nati, à moi d'en profiter... ! Si ça se trouve, un jour ou deux suffiront à le faire changer d'idée. Ma belle-mère (qui est de mon côté) y réussira peut-être. Conclusion ? Je dois gagner du temps !

J'entre dans ma chambre.

Mon cœur bat à toute volée.

La lettre... vite ! Du fond de mon sac,

elle émigre sous mon matelas. Ce tour de passe-passe effectué, je glapis :

— Ça alooors !

— Quoi ? mugit mon père.

— Je ne la trouve pluuus !

— Qu'est-ce que tu me chantes ?

— La véritééé !

Ben non, c'est un mensonge. Tant pis. À la guerre comme à la guerre, et je n'ai pas le choix des armes.

Je retourne à la cuisine.

— Tu sais, j'ai dû l'oublier chez les Legat, la lettre, dis-je, embarrassée.

Soudain, je le suis de mentir, mais Papa (qui attribue ma gêne à ma prétendue étourderie) n'a pas la puce à l'oreille.

— Appelle tes amis tout de suite ! m'enjoint-il.

— Ça sert à rien.

Je balbutie :

— Y a plus personne chez eux. Garance est repartie en Aveyron dès hier soir et Milou se trouve à l'École.

— Bravo, Nina, ironise mon père, tu te débrouilles comme un chef ! Mais Internet existe, et j'y chercherai les coordonnées de Mme Camargo dès que je serai au bureau.

Sur ces mots, il se lève et sort.

Moi, je reste scotchée au carrelage.

Je ne me sens pas terrible...

7
Le ver dans le fruit

13 heures.

Poussant une de ses portes vitrées, je franchis le seuil de la Salle Noverre.

Un geste anodin ? Pas du tout.

Pour moi, les choses sérieuses commencent à cette minute précise : à l'instant où le battant se referme dans mon dos. La vie normale reste derrière moi, et j'entre dans la vie de danseuse — un autre monde. Le meilleur ? Oui. Je crois, même si le pire des juges m'y attend : le miroir.

Aucun de mes gestes ne peut lui échapper ! Pendant des heures, il va me refléter implacablement. Mon double sera-t-il à la hauteur de mon rêve, aujourd'hui ?

Pourvu que... !

Ces jours-ci, mon double m'a plutôt agacée ou déçue : j'ai raté mon audition, j'ai perdu Mo et j'ai déplu à Mme Canoppi, alias *the big* Corneille, l'affreux volatile [1] qui remplace mon Oiseau de feu... [2] !

Ça fait un peu-beaucoup de contrariétés, non ?

Résultat : j'ai une énorme revanche à prendre, face à moi-même ! Pour y parvenir, l'idéal serait de danser à Madrid... mais n'y étant pas encore, il me reste une petite revanche à la portée de chacun : TRAVAILLER.

J'y vais de ce pas !

★

Au troisième étage, le vestibule de l'Académie Beauchamps est le dernier « sas » entre l'univers habituel et celui de la

1. J'exagère, je sais !
2. Voir le volume n° 35, *La Danse ou la Vie ?*

Danse. Derrière le bureau de l'accueil, Nadège (agrippée au téléphone) répond à mon « Bonjour ! » par un petit signe.

Si je pouvais... ! J'attendrais pour savoir si elle a reçu des nouvelles de *Mister D.* (il me manque drôlement, tout à coup), mais des élèves traînassent autour de « l'Indispensable-Admirable-Responsable » et je n'ai aucune envie d'exprimer un truc perso devant eux : je file au vestiaire sans m'arrêter. Quelques mères de danseuses qui, assises sur des chaises disposées en rang d'oignons, attendent leur progéniture, me regardent passer, l'œil critique...

Leurs fifilles sont plus belles, qu'est-ce qu'on parie ?

Retenant une vague envie de rire, j'entre dans le capharnaüm [1] où quinze à vingt ballerines sont en train de se changer. Ça piapiatte que tu piapiattes !

— Salut ! je lance à la cantonade.

Personne ne m'écoute. Et, seule, Victoria me répond. D'un mouvement machinal,

1. Endroit très encombré ou en désordre.

elle s'écarte d'une fesse pour me laisser une place sur le banc.

— Ça va ?

— Ça va !

Bises. Pas trop chaleureuses. Entre nous, il y a ce contentieux rampant : elle est ulcérée par mon regain d'amitié pour Zita et, moi, je la soupçonne d'avoir inventé le « Mystère de la bouteille empoisonnée[1] ». Dans ces conditions, difficile de se sauter au cou, ou même de papoter de tout et de rien !

Notre conversation s'arrête là.

À cet instant, Moïra, affalée à la seconde sur la moquette, le nez sur un magazine, braille à tue-tête :

— Écoutez, les nanas, ça vaut le coup !

La voilà qui claironne :

— « *Le Rebelle du Gotha... À seize ans, Pavel Vse... euh... aurait pu couler des jours heureux...* »

La Cigogne déclame l'article de *Fiesta* d'un ton tragique. Ma parole ! On se croi-

1. Voir le volume n° 35, *La Danse ou la vie ?*

rait à *Andromaque*[1], acte I, scène 3 (ou autre) !

— « *Serait-ce la voix du san-ang ?...* »

Les filles se taisent, les yeux ronds.

— « *La Danse est sa priorité. Et, sans doute, jour après jour, forçant ses muscles face au miroir...* »

— Ben dis donc, piaule Audrey-la-Rousse, si les princes se mettent à danser, qu'est-ce qui va nous rester, à nous, les « pas princes » ?

Moïra vitupère :

— Tu me laisses finir, ouais ?

— Oh ! l'autre, se moque Béryl, on dirait qu'elle lit un « Harlequin[2] » !

— Ou qu'elle est amoureuse de son Altesse... !

— « *La Danseuse et le Prince* », ce serait pas super, comme titre ?

Soudain, tout le monde rigole, met son grain de sel, se moque, ou piaille : « Tu me passes *Fiesta* ? » Tout le monde... sauf Vic et moi.

1. Tragédie de Jean Racine (1639-1699).
2. Célèbre collection de romans sentimentaux.

— C'est drôle... me chuchote-t-elle.

— Quoi ?

— Zita n'est pas là, aujourd'hui.

Je jette un rapide regard alentour. Effectivement. Miss Gardel manque à l'appel.

— Bon débarras ! jubile ma copine.

Soudain boostée par l'absence de sa bête noire, elle ajoute :

— On va enfin rester entre nous et, tiens, je vais m'offrir le cours de Canoppi !

— Tu sèches celui d'Eddy[1], alors ?

— Ben oui ! Ce sera trop sympa de danser ensemble, hein, Nina ? Comme à l'époque Camargo...

Je réponds par un borborygme évasif. En fait, j'ai déjà zappé Vic, et je suppute : « Zita a dû retrouver Alice à Choré-Clichy... » L'évocation de ce studio (maudit) me fait flipper carrément. C'est là-bas que Mo rejoint sa Blonde. À cette heure-ci, il s'y trouve avec elle. Sûr et certain.

Oh ! Mo...

Pour cacher mes yeux qui piquent, je farfouille dans mon sac, en exhume mes collants, les enfile, tête baissée.

1. Le professeur habituel de Victoria.

... *Pourquoi m'as-tu laissé tomber ?*

Ma question désolée est comme un ver dans un fruit. Mon énergie en est salement entamée. Je ne pense plus à ma revanche, ou au travail. Si je m'écoutais, je courrais à Choré-Clichy.

Pour danser ? Non. Pour voir Mo.

Un mauvais point, Nina.

Les « vers » de la vie normale ne doivent pas se glisser dans ta vie de ballerine !

Oui, je sais. N'empêche.

Oh ! Mo...

Et — pour tout arranger — dire que d'ici cinq minutes, je serai obligée de supporter *the big* corneille... !

Pourquoi ai-je autant d'ennuis, moi ?

Autre question désolée. Elle n'améliore pas mon humeur.

⋆

Celle qui fut un rêve de tulle blanc, la Sylphide idéale, la grande Emma Canoppi de l'Opéra de Paris (et qui s'est muée en petite dame boulotte vêtue d'un survêt noir), nous attend de pied ferme dans le studio *Giselle*.

Quand nous entrons, elle me jette un regard atone, ou opaque (je ne sais comment le définir), antipathique, quoi ! Je ne plais pas à cette bonne femme et, ça, c'est clair.

Je souffle à Victoria :

— Si elle était un oiseau, ce serait lequel, à ton avis ?

— Le Cygne noir[1] ?

— Tu rigoles...

The big corneille, à cet instant, croasse :

— Au lieu de cancaner, échauffez-vous, les filles ! Dès que vous entrez dans le studio, seule compte la Danse. Vous êtes ici pour travailler...

Elle m'épingle :

— ... n'est-ce pas, Nina Fabbri ?

— Oui, bien sûr, je réponds, contrariée.

Je suis la seule à être prise à partie. Elle aurait pu allumer Victoria, ou d'autres filles papotant à la barre.

1. L'Odile du *Lac des Cygnes*, la femme fatale, autrement dit le négatif du Cygne blanc, Odette, qui représente la jeune fille pure.

Mais non ! Me voilà bombardée tête de Turc ! Soudain, j'ai une de ces envies de filer ! Cette réaction pas normale m'arrive pour la deuxième fois avec Mme Canoppi.

Alors (instinct de survie, ou mauvais caractère ?), je fais illico volte-face. La classe commencée, je n'oserai plus. D'ailleurs, l'autre jour — la première fois —, mon désir de décamper m'ayant prise en plein cours, je suis restée. Stoïque.

Dans la Danse, on doit toujours aller jusqu'au bout d'un geste, d'une musique, ou d'une leçon.

Mais, là, puisque la Danse attend encore à la porte...

Tchao *the big* corneille !

Et je sors.

— Mai-ais..., couine Vic, dans mon dos.

Je ne me retourne pas.

8
Une déception...

Rhabillée à la diable, le sac à dos de guingois, je cingle vers la sortie de Beauchamps en remontant la fermeture Éclair de ma doudoune.

— Qu'est-ce qu'il te prend, Nina ? s'informe une Nadège abasourdie.

— J'ai mal au cœur...

Excuse bidon ? Pas tant que ça ! La Danse n'ayant pas pu me consoler de son absence, j'ai très mal à Mo, tout à coup.

— Où vas-tu ? poursuit l'Indispensable.

— Je rentre chez moi.

— Attends...

Elle empoigne le téléphone.

— ... je préviens tes parents !

— Pas la peine, j'ai la clef.

— N'empêche, tu es sous la responsabilité de l'Académie, je dois...

Sans écouter la suite du discours, je me précipite vers l'escalier, le dégringole quatre à quatre, traverse le hall de la Salle Noverre au pas de charge, me jette dehors.

Direction ?

Choré-Clichy !

Et tant pis si Nadège ameute ma famille.

Et tant pis si mon père me remonte les bretelles.

Et tant pis si je suis grillée à l'Académie.

Et tant pis si *the big* corneille se plaint à ma *petite mère* (son amie).

TANT PIS !

Y a plus grave.

Mo... Mo... Mo...

Le plus grave dans ma vie, c'est lui !

Je me répète cette vérité dans le fracas du métro. Je ne pense à rien. Juste à Mo. Je vais l'attendre jusqu'au soir à Choré-Clichy, s'il le faut. Voyons les choses en face : depuis qu'il m'a quittée, ma vie marche sur trois pattes... je l'avouerai à Mo !

Et ça veut dire « Je t'aime ».

Je lui raconterai aussi le problème Camargo. Il ne pourra pas me refuser ses conseils ou son appui. Trop de sentiments (ou de souvenirs) nous lient.

Qu'est-ce qu'elle croit, la Blondasse ?

Elle ne va pas me remplacer comme ça !

*

Le plexus mordu par l'anxiété + la hâte d'arriver, je compte les stations. OUF ! On s'arrête à l'avant-dernière (pour moi), Rome. Dire que j'aurais dû descendre ici pour l'enregistrement chez ma *petite mère*... ! Je tâche de ravaler cette amère réminiscence, lorsque...

Le choc !

À peine les portières ouvertes, une jeune femme tout emmitouflée, un bonnet au ras des yeux, saute dans le wagon avec une légèreté reconnaissable entre mille.

— Éva... je bredouille.

Le train reparti, elle reste debout face à la portière.

Soudain, j'ai trop chaud, ou froid, je ne

sais pas. La honte et l'angoisse. Recroquevillée sur mon strapontin, je reprends d'une voix étranglée :

— Éva...

M'ayant enfin entendue, l'étoile me jette un coup d'œil.

— Tiens ? Nina ! s'écrie-t-elle — sans sourire.

Malgré sa réaction glaçante, je me précipite vers ma *petite mère*. Je lui bafouille un discours sans queue ni tête au sujet d'une lettre d'excuses.

— J'allais vous l'écrire, mais...

— Que t'est-il arrivé, au juste, jeudi dernier[1] ? m'interrompt-elle, pète-sec. Ce soir-là, tes parents n'ont pas su me l'expliquer.

— Ils n'étaient pas encore au courant.

Et les yeux pleins de larmes, je balbutie la triste vérité.

— Tu t'es EN-DOR-MIE ? répète Éva Miller. Rien que ça ? Je n'en reviens pas.

— Moi non plus.

— Joli argument ! ironise-t-elle. Tu le resserviras à l'occasion, quand tu auras raté

1. Voir le volume n° 34, *Accroche-toi, Nina !*

ton entrée en scène... si jamais tu es engagée un jour, du moins !

J'ai compris 5/5.

Et, meurtrie par le perfide sous-entendu d'Éva (tu n'es pas fiable et personne ne te fera travailler), je reste coite.

Elle ajoute :

— Tu nous as beaucoup déçus, ton *petit père* et moi, sache-le. Tous les deux, nous avions fait le maximum pour ton entrée à l'École, et voilà le résultat !

— Mais je peux encore enregistrer ma cassette, l'envoyer à la Direction... je marmonne.

Hélas, mon filet de voix est si faible qu'Éva ne l'entend pas (ou feint de ne pas l'entendre). À ce moment, dans le grincement de ses roues de métal, la rame stoppe. Place de Clichy !

— Au revoir, Éva — je réussis à bredouiller —, je descends ici.

— Comme moi. J'ai un rendez-vous à Choré-Clichy.

— J'y vais aussi... trop marrant !

Si j'essaie misérablement de rire, l'étoile n'en a aucune envie — elle. Une fois sur le quai, elle jette une bise rapide, quelque part, dans l'air, du côté de ma joue :

— À une prochaine fois, Nina. Je te laisse. Je suis un peu pressée.

Comme si elle sortait de scène, elle s'élance vers l'escalier avec un très joli mouvement. Tétanisée par la (mauvaise) surprise, je regarde la Fée Lilas grimper les marches. Et je me demande si, tout à coup, elle ne s'est pas transformée en Carabosse...

9
... peut en cacher une autre !

Je repars à pas lents, avec l'impression de peser 112 kilos. Moi aussi, je suis déçue... « beaucoup ». Le hasard m'a offert sur un plateau l'occasion de me justifier, mais... v'lan ! Éva a tout envoyé valdinguer ! Son attitude me paraît exagérée par rapport à ma bourde, et très injuste. À croire que je n'ai pas droit à l'erreur ! L'étoile n'en a pas commis, par hasard, à mon âge ? Oh ! la la ! cette prétendue perfection des adultes M'É-NER-VE !

Que j'ai hâte de voir Mo !

Je lui expliquerai tout ça ! Il me comprendra. On est du même côté de la barrière : on est jeunes. Et j'ai l'impression, soudain, que la barrière en question nous sépare vraiment des « vieux » ; des vieux *moyens*, je veux dire (comme Papa, Mme Canoppi ou ma *petite mère)*, parce que les vieux *vieux* (telles Mme Camargo, par exemple, ou Mamie[1]) sont hyper-compréhensifs. Ils redeviennent jeunes par le cœur !

Je ressasse ces vérités jusqu'à Choré-Clichy, mais une fois entrée dans le hall... stop ! Je ne pense plus à Éva, ni aux jeunes ni aux vieux, mon cerveau se bloque sur la touche « Mo ».

Dans trois minutes, je saurai où, quand, comment, à quelle heure et dans quel studio, je vais le trouver ! Il me suffit de réclamer Mohamed El Bilbesi à la fille-inodore-incolore-et-sans-saveur qui végète à la réception.

Oh ! le trac !

Brusquement, une horloge déréglée bat dans ma poitrine. Les genoux chiffon, je m'approche du comptoir, mais...

1. La grand-mère de Nina qui habite Cannes.

C'est quoi, ce truc-là ?

Je regarde avec des yeux exorbités le carton punaisé sur le mur, derrière l'hôtesse d'accueil.

★

Compagnie Malik
Départ tournée samedi 3 février à 8 h 30
Rendez-vous devant Choré-Clichy

★

Mo s'en va bientôt, et il ne m'a pas encore avertie.

Trop moche !

Une tournée = une super-nouvelle — pour lui ! Et une super-nouvelle se partage comme un gâteau délicieux. Surtout avec ceux qu'on aime. Que mon Prince Hip-hop ne m'en ait pas offert une petite part me flingue à la minute. Il s'est empiffré du gâteau avec sa Blondasse — sans m'en laisser une miette !

— Hé... !

La voix de la fille inodore-incolore-et-sans-saveur me fait sursauter.

— ... qu'est-ce que tu veux, toi ?

— Ben... je cherche Mohamed El Bilbesi, de la Comp...

Elle me coupe la parole :

— Ouais, je sais. On le connaît, Mo, ici !

Cette précision me déplaît, comme si l'hôtesse n'ignorait rien de la double vie de mon Prince Hip-hop. Et je ne me trompe pas.

— Il est absent, poursuit-elle, et pendant un bout de temps... !

D'un revers de pouce, elle me désigne le panneau. J'objecte :

— Le départ est pour le 3 février, non ?

— Ouais, celui de la Compagnie, mais Mo est déjà parti, lui. Il a accompagné Malik en repérages avant la tournée...

Je ne trouve rien à répondre, accablée.

Hélas, maintenant, impossible de demander conseil à Mo, ou de chercher son appui, d'une manière ou d'une autre. Il ne va pas partir, il *est* parti. Sans me prévenir. Il m'a vraiment abandonnée.

Je réussis à marmonner un « merci » étouffé. Et j'ai envie de hurler :

Mo...

Qu'est-ce que je t'ai fait ?

À cet instant, une main se pose sur mon épaule. Le temps d'un battement de cils, un espoir irrationnel me chamboule — *il* est revenu !

Et je me trouve nez à nez avec Matt Despréaux.

— Tu n'es pas à Beauchamps, Nina ? s'étonne-t-il.

L'ex-barbichu me fixe de son « lumineux regard vert[1] » — à croire qu'il contemple la réincarnation d'Anna Pavlova[2].

Gênée-désespérée-exaspérée-dégoûtée, je baisse le nez pour expliquer :

— Je n'aime pas le cours de Canoppi et...

— ... tu reviens à celui de Gilbert, à

1. Voir le volume n° 35, *La Danse ou la Vie ?*

2. Danseuse russe devenue un mythe, le prototype de la ballerine idéale (1881-1931).

14 h 15 ? croit comprendre mon admirateur.

— Euh...

— Manque de bol, soupire-t-il, cette fois-ci, on ne pourra pas y travailler ensemble...

(Je m'en remettrai !)

— ... dans deux minutes, avec d'autres stagiaires de l'Opéra, je prends une leçon semi-particulière.

— Super, dis-je d'un ton funèbre.

— Et même superissime ! La prof, c'est Éva Miller, alors... !

Alors, je reste la bouche en passe-boule.

Ma petite mère venait à Choré-Clichy pour donner un cours et ne m'a pas proposé d'y participer. Avant l'audition ratée, elle l'aurait fait. Mais, aujourd'hui, elle s'en est bien gardée...

Ça s'appelle la « disgrâce ».

Autrement dit, je n'ai plus la cote.

Si je m'écoutais, je m'effondrerais, mais devant le *Old* ex-barbichu, non merci !

— Bon, j'y vais — poursuit-il —, Éva ne rigole pas avec l'exactitude !

Je sais — malheureusement.

Là-dessus, Matt m'embrasse sur les deux joues, puis s'éloignant à toutes jambes vers les vestiaires, il me laisse tomber — lui aussi.

Et, moi, je quitte Choré-Clichy.

Je hais cet endroit !

10
L'important... et le reste !

D'accord : j'aurais dû me forcer. Dire QUAND MÊME ! et foncer au cours de Gilbert. Faiblesse, fatigue, ou ras-le-bol ? Je n'en ai pas été capable, malgré la certitude absolue que la Danse m'aurait « soignée », ou consolée. Mais j'ai refusé son aide et, à cette minute, mon chagrin prend toute la place.

Ah ! c'est malin !

Je *me* déçois, au fond.

Soudain, je comprendrais (presque) l'intransigeance d'Éva à mon égard.

Tu ne vaux pas trois clous, Nina Fabbri !

Ce verdict démoralisant me trotte dans la tête jusqu'à la Place de Clichy — où je vais reprendre le métro. Oui. Je rentre chez moi : je ne vois pas d'autre option. Nadège a averti Odile de mon « mal au cœur », et elle m'attend. Si ça se trouve, elle s'inquiète déjà... ! Du coup, je me dépêche, descends l'escalier quatre à quatre, manquant percuter Alice Adam qui (en sens inverse) monte à toute allure !

Le choc esquivé, elle s'écrie :

— J'vais à Choré... et j'suis speed ! Au fait, t'as vu Zita là-bas ?

— Euh... non, je ne crois pas.

À vrai dire, le hall aurait pu contenir cent personnes, je l'aurais cru vide, puisque Mo n'y était pas. Et j'ajoute :

— En tout cas, elle n'est pas venue à Beauchamps, ça, je suis sûre.

— Ouiiiille ! Je te parie qu'elle broie du noir à la maison.

— Pourquoi ?

Oubliant son horaire ric-rac, la Blonde s'exclame :

— Non ? T'es pas au courant pour Mme Gardel, Nina ?

Je secoue la tête.

— Ben, pendant le week-end, elle a été emmenée d'urgence à la clinique...

Une brusque appréhension me dessèche la bouche. Le malheur, je connais — à cause de Maman. Tout à coup, il nous frôle dans son costume de deuil, je le sens. Et j'ose à peine poser la question :

— Son bébé est né, alors ?

— Oui, mais trop tôt, et il est... mort.

La réponse d'Alice me coupe la respiration. J'imagine Micha, mon Micha, si beau, si joyeux, si... vivant ! Le malheur aurait pu le désigner de son index crochu, après tout ? Il pourrait être à la place du petit nouveau-mort...

— Pauvre Mme Gardel, je murmure, pauvre Zita...

Et je craque.

Maman...

C'est sur elle, aussi, que je pleure.

— Bon, tu *m'escuses,* fait Alice, embêtée, mais je dois y aller. Ça la fichera mal, si jamais je rate le début du cours de Gilbert...

Là-dessus, elle détale.

QUOI ?

Elle va s'aventurer chez le Maître ? Elle

me copie, ma parole ! L'autre jour, Zita et elle n'ont pas osé[1]. Mes larmes séchées d'un coup, j'ai une envie subite d'emboîter le pas à la Blonde.

Pour lui montrer que... !

Non mais... ! Elle se prend pour QUI ?

Je dois prouver à cette vip' qu'elle n'arrive pas à la cheville de Nina Fabbri.

« Tu m'attends ? » je m'apprête à lui crier.

Une honte soudaine m'en empêche.

Je viens d'apprendre un événement terrible, un truc qui a une VRAIE importance, et je prends la mouche à cause d'un détail infime : une égratigure d'amour-propre.

Complètement débile, n'est-ce pas ?

Et je m'engouffre dans la station.

★

Une fois sur le quai, j'ai laissé passer quatre ou cinq rames. Je réfléchissais à « tout ça » : l'important, et... le reste ! Puis, brusquement, je me suis décidée. J'ai sauté dans le métro.

1. Voir le volume n° 35, *La Danse ou la Vie ?*

*

Le trac me guette à la sortie.

Pourquoi je viens ici, moi ?

Il fait froid. Soudain, je m'en rends compte. Le ciel d'hiver pèse au-dessus des immeubles. Ça me rappelle... avant ! Quand, privée de Maman depuis peu, ma vie était si terne ! Venir chez les Gardel lui rendait ses couleurs (Ann me paraissait une presque mère, Zita, une presque sœur), puis entre nous, les choses ont viré au noir...

Alors, il me faut beaucoup de courage pour revenir... QUAND MÊME !

Le courage est une qualité de danseur, je me dis. À moi de le prouver, encore, puisque j'ai compris où est « l'important » dans la vie, et où il n'est pas.

Je tapote le digicode. Toujours le même. Bon signe ? J'espère. Mais quand je rentre dans l'immeuble, mon cœur bat pire qu'un tambour. Zita m'a déjà jetée, une fois [1], ça ne la gênerait pas de recommencer.

Eh bien, tant pis, j'assume : je prends

1. Voir le volume n° 19, *Des yeux si noirs...*

l'ascenseur, je monte, je sonne chez elle. En attendant qu'elle se manifeste, je compose une belle phrase.

« *Peut-être suis-je importune, mais Alice m'ayant appris la tragique nouvelle, j'ai voulu vous assurer, tes parents et toi, de ma sincère émo...* »

Le battant s'entrebâille sur le regard noir de Zita. Elle a l'air si malheureuse que mes condoléances ampoulées me paraissent ce qu'elles sont : ridicules.

La gorge nouée, je balbutie simplement :

— Tu sais, j'ai beaucoup de peine pour toi.

Alors, ouvrant la porte en grand, Zita se jette dans mes bras.

★

Ensuite, elle m'emmène dans sa chambre, cette boîte à bonbons rose et verte où je me sentais si bien, autrefois. Bizarre, je la trouve moins jolie que dans mon souvenir, même un peu vieillotte — je préfère la mienne, franchement ! Et je m'en veux d'avoir des impressions aussi frivoles dans un moment pareil...

Je me pique sur un siège, Zita s'assied sur son lit.

— Tu sais, murmure-t-elle, j'ai compris « ce que ça fait » de perdre sa mère.

Glacée, je bredouille :

— Dis, ta maman n'est pas... euh... avec le bébé ?

— Non, mais je l'ai cru. Samedi, en revenant de Choré-Clichy, c'est moi qui l'ai trouvée, ici, évanouie... comme à Beauchamps, tu te rappelles[1] ? Oh ! si je te racontais... !

J'écrase les paumes sur mes oreilles.

— S'il te plaît, Zita, pas ça... ! je supplie.

Moi, je veux oublier ces choses horribles, ces moments déchirants où la vie bascule, puis reste à jamais de traviole. Qu'elle n'en rajoute pas, Zita, avec ses détails... !

Mais elle se contente de répéter :

— Oui, j'ai compris... Pardon, Nina.

Je ne sais pas quoi répondre. Elle s'est

1. Voir le volume n° 33, *Le Triomphe de Nina.*

déjà excusée d'avoir été nulle avec moi[1], mais cela n'a pas changé grand-chose : elle a continué à m'assaisonner de ses vipéries. Elle n'y peut rien, si ça se trouve, c'est sa nature.

Alors...

Pourquoi suis-je venue la consoler ?

Eh bien, parce qu'il le fallait ! Pour Zita, certes, mais surtout pour moi. Afin d'éviter de me sentir nulle à mon tour. Je m'en serais trop voulu !

— Parfois, je me dégoûte, souffle-t-elle. Être jalouse, c'est l'horreur.

— Surtout pour les autres !

Le cri du cœur ! Je l'ai laissé échapper. Elle m'adresse un pâle sourire.

— Détrompe-toi, Nina, c'est bien pire pour le jaloux : il se sent tellement moche ! Il ose à peine se regarder dans la glace...

Ah bon ? Je ne la voyais pas si mécontente de son reflet, moi... !

Déroutée, je passe du coq à l'âne :

— Et ton papa, ça va ?

— Il tient compagnie à Maman toute la

1. Voir le volume n° 33, *Le Triomphe de Nina*.

journée, tu penses ! Le soir, il revient très tard de la clinique.

Je reste muette. Je n'ose pas évoquer le bébé. Je crains de manquer de tact. Et, brusquement, je me rends compte que je n'ai RIEN à dire à Zita. Je n'ai même pas envie de lui reparler de Mo, comme il y a quelques jours[1]. Effectivement, nous n'avons peut-être plus rien en commun...

À part la Danse !

Je m'y accroche.

Tout à coup, j'ai envie de travailler. J'ignore pourquoi et comment le déclic s'est produit, mais, quelque part dans mon cerveau (ou du côté de mon âme), la machine à danser s'est remise en marche !

— Voyons, Zita, je m'écrie, tu ne vas pas rester à déprimer ici jusqu'au retour de ton père ? Accompagne-moi à Beauchamps au cours de Mme Méhul, ça vaudra mieux...

Je bondis sur mes pieds :

— Tu viens ? On a juste le temps d'arriver !

1. Voir le volume n° 34, *Accroche-toi, Nina !*

11
Le secret de la Danse

Lorsqu'elle me voit reparaître, suivie de Zita, la tête de Nadège... !

— Tu n'as plus mal au cœur, Nina ? s'informe l'Indispensable, mi-soulagée mi-ironique.

Inutile de répondre, vu qu'elle poursuit déjà :

— J'ai appelé ta mère...

— C'est ma belle-mère, nuance !

— ... mais elle était sortie et j'ai laissé un message sur le répondeur.

Sur ce, avisant la petite Gardel, Nadège s'étonne :

— Oh ! dis donc, tu as mauvaise mine, toi...

Driiing ! La sonnerie du téléphone l'interrompt juste à point. Vite ! Au vestiaire !

Zita me tire par la manche.

— Tu n'« en » parles pas aux autres, hein ? me chuchote-t-elle.

Je la comprends.

S'effondrer devant la galerie ? Merci !

Le vestiaire est bondé vu que c'est l'interclasse. Notre entrée fait sensation — surtout la mienne !

— Tiens, une revenante !

— Ho, Nina, qu'est-ce qui t'a pris tout à l'heure ?

— Mme Canoppi n'a pas apprécié.

— T'aurais vu sa tronche...

— ... Et entendu ses remarques !

Je n'écoute pas, et vais m'asseoir où je peux. Zita se colle à côté de moi. Vic en avale de travers son sacro-saint rocher praliné, tousse, manque s'étouffer. Une bonne âme lui frappe dans le dos à tour de bras.

— Hé, intervient la Cigogne, c'est sur la poitrine qu'il faut taper, sinon ça sert à rien !

— T'occupe !

Une seconde, je me demande comment Zita peut supporter ce vacarme trivial — après ce qui lui est tombé dessus. Mais elle tient le choc. Elle se change, puis bobine son chignon avec les mêmes gestes précis que d'habitude.

Je l'admire — quand même.

À sa place, comment ferais-je pour supporter ? Eh bien, je ne supporterais pas, je crois ! Prise d'un coup de blues, j'effleure mon cœur d'or-porte-bonheur...

Maman, protège-moi !

Et je me sens mieux.

*

Les cours de Mme Méhul se déroulent toujours dans le studio *Coppélia*. OUF ! Cet après-midi, je suis assez contente de ne pas retourner au studio *Giselle* où plane l'ombre (maléfique) de *the big* corneille... et puis, ça fait beaucoup de bien de changer de miroir !

À force de se refléter dans le même (qui, peu à peu, devient une espèce de complice), une danseuse finit par s'habituer à ses propres défauts. À s'y voir confrontée d'une façon routinière, elle ne les voit plus, quoi ! Mais quand elle tombe face à une nouvelle glace... aïe ! celle-ci n'est pas forcément flatteuse.

Ça remet les pendules à l'heure (EDMS) !

Être trop content de soi empêche d'évoluer (vers le haut), ou de se remettre en question.

Alors, à peine entrée dans la salle, je jette un coup d'œil au miroir du studio *Coppélia*.

Miroir, mon beau miroir, ne me démoralise pas...

Renvoie-moi une jolie image !

À vrai dire, j'ai du retard à rattraper. J'ai perdu une heure et demie de danse. Les autres ont, grâce à leur leçon précédente, les muscles chauds et souples, sauf Zita. Mais, déjà, assise par terre, le dos droit, elle se délie les pieds, les faisant tourner en dehors et en dedans. Un truc super, aussi, pour chauffer les chevilles vitesse grand V !

Je m'empresse de m'y mettre... !

— Ben dis donc, grommelle Victoria, penchée vers moi, si tu l'imites... c'est mauvais signe !

Je la regarde sans amabilité excessive :

— Tu veux dire quoi, là ?

— Que tu « radores » ta chère amie malgré tous ses sales coups... ! Et avec elle, tu es mal barrée, laisse-moi te dire !

— Oh ! ça va !

Debout d'un coup de reins, je révèle tout bas à Vic le drame Gardel. Changement à vue. Démontée, la petite Rambert bafouille « Trop horrible ! », avant de filer à la barre.

Je l'y rejoins :

— Tu gardes cette histoire pour toi, hein ?

Bon. D'accord. J'ai été moi-même un peu indiscrète, mais il le fallait — pour fermer le clapet de Victoria. Et je reste à côté d'elle par prudence. Sur ces entrefaites, précédée par M. Marius, mon pianiste préféré (le pianiste de Camargo), Mme Méhul entre dans le studio.

— Bonjour — lance-t-elle —, mesdemoiselles !

L'emploi de ce terme et le ton de la voix suffisent : nous voilà au garde-à-vous. C'est-à-dire, déjà, en première position. L'ex-étoile du Ballet de Bâle ne badine pas avec la Danse...

Et elle a bien raison !

*

Lorsque (trois quarts d'heure plus tard) nous passons au milieu :

— Vous ne travaillez pas trop mal, mesdemoiselles, admet-elle, mais vos bras me chagrinent...

Silence circonspect.

D'un cours à l'autre, Mme Méhul est toujours « chagrinée » par un de nos défauts. Jamais le même. Aujourd'hui, donc, au tour des bras !

Oh ! la la ! l'implacable contrôle technique !

« Guimauve », « bouts de bois », ou « ailes de pigeon »... voilà ce que Mme Méhul a diagnostiqué — en gros !

Conclusion : une révision générale s'impose !

Damned !

Si tu avais des illusions, Nina, tu peux les revoir à la baisse !

Je suis un peu-beaucoup-énormément dépitée. Je croyais mes bras jolis, mais ils ne doivent pas l'être assez !

— Nous allons faire des *ports de bras*, poursuit la prof, parce que, entre nous, mesdemoiselles, *La Mort du Cygne*[1] n'est pas pour demain.

On s'en doutait — hélas !

— Que voulez-vous, l'École Française[2] base l'enseignement de la Danse sur le travail des jambes, et néglige le reste !

Elle nous balaie d'un regard soudain courroucé :

1. Solo qui demande un travail des bras virtuose.

2. Tout au long de son histoire, la danse classique a subi des influences différentes selon les pays où elle était pratiquée. Le terme « école » désigne le style propre à chacun. On distingue quatre écoles : la Française, la Russe, l'Italienne et la Danoise (voir le *Dictionnaire de la Danse*, sous la direction de Philippe Le Moal, Larousse, 1999).

— Vous apprenez à « dégager derrière l'oreille[1] », certes, mais pour ce qui est d'exprimer, mesdemoiselles, bonjour !

Aussitôt, se plaçant face au miroir, Mme Méhul bouge ses bras décharnés dans toutes les positions, de la *première* jusqu'à la *couronne* de la *cinquième*, où — comme il se doit — elle les arrondit au-dessus de sa tête.

C'est magnifique !

Une seconde, je ne vois plus une vieille danseuse, mais la Danse elle-même. La magie s'efface dès que Mme Méhul a interrompu son mouvement...

Dommage !

— Le secret de la Danse se trouve dans les bras, dit-elle. Ne l'oubliez pas. Grâce à eux, on peut tout exprimer : tristesse ou bonheur, désolation ou liesse...

Ces mots me rappellent un souvenir très ancien, une remarque de Maman quand j'étais petite :

« *Et les bras, Nina, les bras... c'est à ses bras qu'on reconnaît une étoile...* [2] »

1. Expression signifiant : lever la jambe très haut.
2. Voir le volume n° 2, *À moi de choisir.*

Soudain, je sens ma mère tout près. Elle m'accompagne. Vraiment. L'éclat menu du cœur d'or, au fond du miroir, me le prouve, une fois de plus.

— Rien de plus modeste, apparemment, qu'un port de bras, conclut Mme Méhul, mais rien de plus nécessaire.

Tout à coup, sa voix tremble légèrement, à croire qu'elle nous confie une conviction très intime, la certitude qu'un beau port de bras peut changer le monde...

Et si c'était vrai ?

Un minimum de beauté ne risque pas de lui faire de mal, en tout cas, avec toutes les choses laides ou tristes qui s'y passent...

Et je m'applique !

Soutenue par la musique, je m'efforce (à ma façon) d'apporter un peu de beauté sur cette terre...

12
Atterrissage !

Je sors du cours avec une de ces pêches ! Je plane. Enfin. Pendant cinq minutes. Quand j'entre dans le vestiaire pour ôter mon justaucorps et mes collants trempés par l'exercice... PATATRAS ! c'est le crash immédiat. Mon moral se retrouve par terre.

J'en deviens sourde au brouhaha des copines, autour.

Après la Danse, la Vie m'attend au tournant.

Mo...

Où es-tu ?

J'oublie cette question (douloureuse) à la vue de Zita. S'affalant sur le banc, en face de moi, elle appuie la tête au mur, malgré les vêtements qui pendouillent aux patères, et ferme les yeux...

— La pauvre, me chuchote Vic, elle accepterait un chocolat, tu crois ?

Je l'ignore. J'ignore *idem* si je dois me lever pour lui chuchoter un truc amical à l'oreille. J'hésite. Comme aurait pontifié Mme Suzette : « Il y a des remèdes pires que la maladie. » Autrement dit, à compatir ostensiblement aux malheurs des autres, on les embête... quelquefois !

— Une bouchée au nougat, par exemple ? suggère Miss Bec-Sucré.

Ma parole ! Elle est convaincue qu'un bonbon a le pouvoir de consoler... ! Je la regarde avec des yeux-soucoupes.

— Quoi-quoi ? s'énerve-t-elle. J'ai dit quoi ?

Par chance, à ce moment-là, retentit la sonnerie d'un portable : celui de Zita, justement ! Arrachée à sa léthargie, elle plonge dans son sac et répond d'une voix feutrée :

— Allô ? Ah, salut, Alice... Ben oui, à Beauchamps... Pourquoi ?... Je t'expliquerai... D'ac-d'ac... Dans cinq minutes aux Ternes... Après, j'irai à la clinique... Ça marche !

Clic ! Elle a fermé son appareil et se rhabille illico presto. Une fois prête, elle ramasse son barda, vient me piquer une vague bise sur la joue...

— Merci pour tout, Nina.

... Et elle part au grand galop !

Racontera-t-elle ma visite à la Blonde ? Je me demande. D'ailleurs, cette question a-t-elle de l'importance ? Non. Et sa réponse, encore moins ! J'ai fait ce que j'avais à faire. Ça me suffit. Point barre.

N'empêche.

J'ai l'impression d'être revenue à l'époque Camargo, lorsque Zita et Alice se voyaient dans mon dos... pour me casser du sucre sur le dos !

Ça me rend un peu (plus) tristounette.

Alors, les pas de mon ex-meilleure amie s'étant éloignés au fond du couloir, Victoria chuchote précipitamment :

— Hé ho, les filles, vous savez pas l'horrible truc ?

Aussitôt...

Émission spéciale de Radio-Ragots !

Je me méfiais, et j'avais raison : Vic ne tient pas sa langue ! Quelle gourde ! Elle ne chercherait pas à me punir d'avoir « retrouvé » Zita, par hasard ?

Du coup, je file le plus vite possible. Seule. Remuer le malheur d'une copine avec les autres ? Non merci !

*

En sortant de Noverre, j'essaie d'oublier que la silhouette de Mo se découpait parfois, le soir, sur le trottoir d'en face. Il va falloir m'habituer à ne plus attendre cette jolie surprise, mais juste le bus.

Pas très follichon, n'est-ce pas ?

D'ailleurs, le voilà, *mon* 43 ! Je saute dedans. Ce soir, je serai pile-poil à l'heure à la maison, et même avant le retour de mon père.

Il admirera ma ponctualité, j'espère !

*

Eh bien, non, il n'admire rien du tout ! Oh ! la la ! Ce n'est pas mon jour, décidément. Une veine qu'il tire à sa fin !

— Nina ? appelle Papa quand j'ai refermé la porte d'entrée. Viens nous voir.

— J'arrive.

La bonne surprise ! Il est revenu plus tôt du bureau. Je le rejoins au salon où il se prélasse avec Odile. Main dans la main, ils regardent la télé...

À cet instant, un danseur blond traverse l'écran en *grand jeté*, et disparaît aussitôt !

— Ça alors, je m'exclame, le prince Pavel !

— En effet, marmonne Odile, il semble d'actualité.

Sur ces mots, ma belle-mère m'observe d'un drôle d'air. Reproche ou agacement ? Je n'arrive pas à décrypter, mais ça m'inquiète.

Je soupire avec un sourire hyper-forcé :

— On parle de lui parce qu'il est prince.

— Quel mauvais esprit, Nina ! ironise mon père. On parle de ce garçon parce qu'il est pro, pour de bon, pas comme *certaine* qui laisse son prof en plan...

Je rougis à éclater.

Odile me précise :

— J'ai transmis à ton papa le message de Nadège.

Ma belle-mère a cafté — donc. Je la fixe, éberluée. Cette fois-ci, elle n'a pas pris mon parti. Pourquoi ? Y a un mystère là-dessous. Si elle commence à me lâcher... l'angoisse ! Que vais-je devenir SEULE face à un père aussi passionné par la Danse que moi par les Maths ?

Je n'ose pas l'imaginer.

— Qu'est-ce qu'il t'a pris, Nina ? s'informe-t-il.

— Je n'aime pas Mme Canoppi.

Il hausse les épaules — comme si j'avais sorti une niaiserie.

Courage, Nina...

C'est parti pour le dialogue de sourds !

— Pourquoi devrais-tu « aimer » ton prof ? demande Papa.

Je baisse la tête. Après une question pareille, autant jeter l'éponge. On ne le changera pas ! Il n'y comprend rien. Ce n'est même plus un scoop. Plutôt une scie. Et je pèse mes mots !

— Tu as un excellent professeur, insiste-t-il.

Je relève le nez.

— Peut-être, mais elle n'aime pas ma danse ! Alors, autant l'en débarrasser !

Là-dessus, je reprends ma respiration, puis :

— À Choré-Clichy, je m'écrie, il y a un maître super !

— D'où le sors-tu, celui-là ?

— Ben, c'est Matt Despréaux qui me l'a recommandé.

— Et celui-ci, qui est-ce ?

Je bredouille :

— Un stagiaire de l'Opéra.

— Tiens donc, un nouveau venu ! C'est quoi, cette histoire ?

— Je t'en prie, Olivier... intervient alors Odile, en lui tapotant la main.

Silence. Une demi-minute. Puis :

— Désolé, reprend mon père, mais en attendant le retour de *Mister D.*, tu continueras tes leçons à Beauchamps, avec Mme Canoppi. Je te rappelle qu'elle a été étoile, autant que ta *petite mère*...

Et il me lance une dernière flèche :

— ... Laquelle *petite mère* ne se bouge plus beaucoup pour toi, entre nous !

— Je sais.

Qu'a-t-il besoin de remuer cet ignoble fer dans ma plaie (surtout aujourd'hui) ?

Et je dis tout bas :

— Une autre étoile m'aime... elle !

— Ah ! non ! éclate Papa. Tu ne vas pas me reparler de Mme Camargo ?

— Si.

Je joins les mains.

— Papa, elle ne m'a pas oubliée. Elle a pensé à moi. Elle VEUT et elle VA m'engager...

— Et te propulser au firmament, pendant que tu y es ?

— Si tu me laisses partir en Espagne, oui.

Il éclate d'un rire surpris — et presque colère.

— Tu es d'une prétention, Bichette !

— Non, Papa, je proteste, ce n'est pas de la prétention, mais de l'ambition.

Et j'ajoute à mi-voix :

— S'il te plaît...

Mais, là, mon père fulmine soudain :

— Arrête ton cinéma ! ÇA SUFFIT !

— ON EST D'ACCORD ! j'explose. ÇA SUFFIT !

Là-dessus, je cours m'enfermer dans ma chambre (un grand classique).

Tu es trop nul, Papa !

13
Black is black...

Allumer la lampe... pourquoi ?

Ma vie est noire, mon cœur est noir et mon avenir, aussi !

Je rumine dans l'obscurité.

Si la Danse est primordiale pour moi, il n'y a pas que *ma* danse dans ma vie, enfin, pas tout le temps. Il ne s'en doute pas, mon père !

Je n'ai même pas réussi à lui parler du fait qui m'a traumatisée cet après-midi : la mort du bébé Gardel.

Il ne s'intéresse à rien de grave ou de profond qui me concerne, mon père ! Il ne voit qu'une chose : je suis arrivée en retard ou je n'ai pas fait mes maths !

Vachement important, hein ?

Il ne se rend pas compte, non plus, mon père, de « l'opportunité » géniale qu'est la proposition Camargo ! Si je finis ouvreuse à l'Opéra, au lieu d'y être étoile, ce sera sa faute !

Pour refouler les larmes qui, tout à coup, me brûlent les yeux, je répète dans ma tête ce nom magique : Madrid.

J'y suis déjà allée avec ma *petite mère*[1]. Oh ! c'était une époque très chouette, éclatante de lumière(s), tandis que maintenant... quelles ténèbres !

— Nina...

Je tressaille. Zut ! Odile m'appelle derrière le battant. Qu'est-ce qu'elle veut ? Regarder de près le mouton noir de la famille Fabbri ? Ce doit être ça !

— ... Ouvre-moi ! dit-elle.

Je me lève de mauvaise grâce, et vais tourner la clef fermée à double tour, avant

1. Voir le volume n° 11, *Un trac du diable !*

de me rasseoir sur mon lit. Ma belle-mère entre chez moi, puis s'étonne :

— Pourquoi restes-tu dans la nuit ?

— Elle s'accorde avec mes sombres pensées...

— Tu n'en ferais pas des tonnes, par hasard ?

Elle sourit — je parie. Et, moi, j'éclate en sanglots.

— Si tu savais, Ode, ce qui est arrivé à la maman de Zita... !

Les mots m'échappent, entrecoupés. Je raconte tout. Même ma visite à mon ex-meilleure amie. Saisie, Odile ne trouve rien à dire ; elle vient juste se mettre à côté de moi, et elle me prend par l'épaule.

— Tu n'aurais pas pu commencer par là en discutant avec ton père ? interroge-t-elle à mi-voix.

— Je suis mal vue : inutile que je me fatigue à m'exprimer !

Elle pousse un gros soupir.

— Tu exagères, Ninette.

Je ne riposte pas. C'est *lui* qui exagère. Mais comme elle l'aime, elle voit la situation de travers. Inutile d'insister.

— À vrai dire, reprend Odile, je venais parler avec toi d'un détail qui te concerne et qui m'a agacée...

Voilà pourquoi elle m'observait d'un air indéchiffrable, tout à l'heure ! Un peu inquiète, je balbutie :

— De quoi il s'agit ? Je ne vois pas !

Pour toute réponse, Odile allume.

Et je vois.

La lettre de Madrid... ! Elle la tient à la main.

— Je suis venue changer tes draps, dit-elle, et je l'ai trouvée sous ton matelas.

Bonjour la poisse !

— Pourquoi as-tu caché ce courrier, Nina ?

Je m'explique, hyper-gênée.

— Ma pauvre chérie, compatit Odile, ton geste est puéril... et ne sert à rien ! Si Olivier veut retrouver l'adresse de Mme Camargo, crois-moi, il la retrouvera !

Je sursaute sous « le coup de fouet de l'Espérance » (comme dirait un grand écrivain). Si ma belle-mère a employé le futur, ça signifie que...

— ... Papa ne l'a pas encore, l'adresse, alors ? je souffle.

— Non. Il n'a pas pris le temps de la chercher.

— Mais tu vas la lui donner ?

— Je ne sais pas, murmure Odile. Je vais réfléchir à la question...

— Pourquoi ?

— Parce que cela te ferait du bien de partir un peu... ailleurs.

COMMENT ?

Elle serait d'accord pour m'aider ? Super-Odile !

— Tu vis une grosse crise, Nina, ajoute-t-elle, et tu as besoin d'une bouffée d'air...

À ce moment...

Oh ! non !

... mon père toque à la porte et surgit dans *ma* chambre :

— Tu viens, Ode ? Le bébé pleure.

Venu du fond de l'appartement, on entend en effet un vague vagissement-prétexte ! Papa veut récupérer sa femme. Voilà tout. Elle se lève, glissant la lettre dans la poche de son jean d'un geste désinvolte, mais...

— C’est quoi, ce papier ? se renseigne mon père.

— Le courrier Camargo.

— Tiens donc ? Il est retrouvé ?

— Oui. Et on va en parler, Olivier !

Celui-ci ne m’a pas jeté un regard, pendant ce bref échange. Décidément, c’est la gué-guerre ! Si Odile réussit à convaincre Papa de changer d’avis, j’aurai du bol !

Ils sortent. Sans un mot de plus.

Allez, Nina, vois les choses en face...

CAMARGO, C’EST RÂPÉ !

Et je me re-barricade dans ma forteresse.

Pas faim.

Pas soif.

Envie de rien.

J’éteins la lampe.

Noir c’est noir
Il n’y a plus d’espoir !

14
La Danseuse et le Prince

Pour tout arranger, impossible de dormir !

Je me tourne et me retourne dans mon lit avec exaspération. Voilà ! La sévérité paternelle va faire de moi une insomniaque. Hâve et les yeux cernés, je ressemblerai bientôt à une wili[1] gothique...

Je serai super-moche, quoi !

Et l'insinuation d'Éva Miller se réalisera : PERSONNE ne voudra m'engager. Quoique.

1. Dans *Giselle*, les wilis sont des jeunes filles mortes dont les fantômes viennent tourmenter les hommes égarés dans les bois, la nuit.

À cette heure-ci, quelqu'un en a encore envie : Mme Camargo ! Dire qu'elle a pensé à moi... ! C'est à la fois émouvant et flatteur. De loin, le Cygne Blanc veille toujours sur sa *hijita* [1]...

Ça me donne une idée !

Je jette un coup d'œil au réveil. Ses chiffres lumineux affichent 23 h 45. L'heure de dormir... à Paris. Mais, si je me souviens bien, en Espagne, il est encore relativement tôt.

Alors, je me lève sur la pointe des pieds, j'ouvre très-très doucement ma porte, me faufile dans le couloir jusqu'à la cuisine...

... où il y a un téléphone fixe !

Pourvu que mes parents ne m'entendent pas ! Le souffle retenu, j'écoute : aucun bruit ne filtre de leur chambre. C'est bon. J'effleure mon médaillon, je croise les doigts, je touche du bois, et je murmure QUAND MÊME !...

Avec tout ça, je suis parée, non ?

Et je décroche l'appareil. Une chance : je me souviens du numéro composé, hier ! À

1. *Petite fille*, en espagnol.

force d'assimiler des enchaînements, un danseur aiguise sa mémoire.

La preuve :

— ¿ *Digame*[1] ? répond Natividad Camargo, au bout du fil.

Et, moi, je chuchote :

— Madame Nati, c'est... Nina !

— ¡ *Hijita !*

Elle paraît si contente que je culpabilise (presque). Si elle savait la vérité... !

— Où es-tu ? s'exclame ma bienfaitrice. Déjà chez nous ?

— Ben, non, *encore* chez moi !

Elle compte sur ma présence, ça s'entend. Je n'ai pas le courage d'avouer que Papa m'interdit de partir. Et on parle, parle, parle... comme si je n'appelais pas en cachette... ! Le jour où arrivera la facture de téléphone, ce sera un peu rock and roll *at home* !

Eh bien, je m'en fiche !

Je renoue un autre fil du Passé... alors !

★

1. En espagnol, équivalent de allô (*Dites-moi ?*)

Une demi-heure plus tard, je regagne ma chambre à pas de loup...

Avec l'impression d'être environnée d'étoiles !

Oh ! le ballet va être génial... !

Il est tiré d'un roman du XIXe siècle : *Les Mystères du Grand Opéra* 1.

Je l'ai lu.

N'est-ce pas un signe ?

Quand j'étais Villa les Cygnes, Mamie m'a offert ce vieux livre (oublié dans sa bibliothèque), parce que son héroïne, une ballerine, s'appelle... Nina.

Autre signe, non ?

Mon « homonyme » dansait au temps jadis ! Et je lui ressemble — peut-être ?

« *Sa légèreté, sa grâce et sa beauté étaient admirables.* (...) *Le jour où elle parut sur la scène dans un divertissement, elle produisit une sensation immense. Ses beaux yeux de princesse italienne, ses pieds d'enfant, sa taille fine et flexible comme les branches d'un roseau, émurent tous les cœurs...* »

J'adore ce passage et je me le rappelle mot à mot, parce que j'aimerais être décrite ainsi, un jour — ou faire cet effet sur la Direction de l'École de l'Opéra... !

Enfin...

Ne voyons pas trop loin !

Le ballet de Mme Camargo, d'abord ! Et Papa n'a pas encore donné son accord... ! Je l'ai oublié, ou quoi ? Non ! mais, grâce à mes retrouvailles avec le Cygne Blanc, je croirais presque que tout n'est pas perdu. J'imagine même ce qui pourrait arriver *après* — si ça marchait.

Ma *petite mère* redevient la Fée Lilas, *Mister D.* est fier de moi, et Mo... peut-être... Mo comprend qu'il m'a toujours aimée...

Apaisée par ces belles images, je me suis endormie.

15
Quand les cœurs parlent...

Je reprends mon souffle.

Je suis toute droite dans le cercle de lumière, au milieu de la scène. La musique éclate. Je pique de la pointe. Mais... je ne peux pas... je ne peux plus danser !

Maman !

Même si je l'ai poussé en rêve, ce cri me réveille d'un coup. Derrière la fenêtre, l'aurore se lève...

— Maman ? je répète alors.

Hélas, aucun effluve de jasmin ne vient flotter autour de moi. Pas de réponse, quoi ! À moins que le ciel tout rose n'en soit une... ?

Débusquant le noir, ici et là, sa clarté emplit peu à peu la chambre...

Je me lève.

Hier soir, m'étant couchée le ventre creux, j'ai l'estomac qui gargouille-grenouille...

Il est temps de sortir de mon trou !

Quoique. L'éventualité de me retrouver nez à nez avec Papa me colle une espèce de pétoche larvée ! Malgré ma conversation nocturne (et euphorisante) avec Mme Nati, le souvenir de l'affrontement de la veille réussit à me plomber. OK, j'étais dans mon droit... mais si je m'étais mal défendue ? Je prends toujours mon père à rebrousse-poil.

Pas très malin-malin !

Je réfléchis à mon propre cas en me brossant les cheveux, puis je tends l'oreille. Mes parents sont réveillés.

Courage, Nina !

Après avoir enfilé pantoufles + robe de chambre, je fonce au combat, c'est-à-dire à la cuisine. Moroses, les tourtereaux y petit-déjeunent sans échanger un mot. Auraient-ils eu une prise de bec n° 2... à cause de moi ? Je le subodore. Odile a essayé de le convaincre question Camargo, mon père n'a rien voulu entendre... et ils se sont volé dans les plumes !

Ça me chiffonne.

— SALUT ! je claironne — une façon de dissimuler mon embarras...

Qui échappe effectivement à Papa !

— Ma parole, m'accueille-t-il, tu as l'air vraiment contente de toi ! Pourrais-tu me dire pourquoi ?

— Tu ne comprendrais pas !

Ce début encourageant tourne court.

— STOP ! nous interrompt Odile.

Ses yeux bleus ont viré à l'orage. Elle ne rigole pas, ça non, et elle nous menace :

— Si vous continuez, les Fabbri, je prends des vacances... illimitées ! La situation devient invivable !

— Pas une raison — riposte Papa — pour envoyer ma fille à 1 500 kilomètres, comme tu le préconises !

— Au moins, la distance vous éviterait de vous... friter.

Un mot trivial ?

Pas la genre de ma belle-mère ! Elle en a vraiment par-dessus la tête.

Aussi embêtés l'un que l'autre, on se tait, Papa et moi. Plus un bruit, juste celui d'un bol reposé trop fort sur le Formica, d'une cuiller qui tinte contre une soucoupe, ou d'une biscotte craquant sous la dent, lorsque le téléphone de la cuisine retentit comme un clairon.

— Si tôt ? proteste Odile.

Mon père renchérit :

— Les casse-pieds n'ont pas d'heure.

Oh ! la la ! l'appel est pour moi ! Je le sens, je le sais, et je suis dans mes petits souliers. Vic... ou Émile... À moins que...

Mo ?

S'il s'agissait de lui, je me moquerais des réactions familiales, mais je n'ose pas l'imaginer... D'ailleurs, ça vaut mieux :

— Bonjour, Zita, dit Papa qui vient de répondre.

Tchao mes illusions !

Et après lui avoir murmuré une phrase compatissante (indice qu'Odile l'a mis au courant de tout), il me passe mon ex-meilleure amie.

J'ai un accès de stress. Qu'est-ce qu'elle me veut ? La santé de sa maman n'a pas empiré, j'espère... ! Ouf ! Bonne nouvelle : Mme Gardel va mieux, elle sortira aujourd'hui de la clinique...

Avec les bras vides ! ne puis-je m'empêcher de penser.

Et à visualiser cette triste image, je renifle déjà, mais :

— Je t'appelais aussi pour... autre chose, m'annonce Zita. Tu te souviens de *mon* film, Nina ?

Le choc !

Comment l'aurais-je oublié, *son* film ? Au départ, c'était le *mien*[1] ! En être écartée a été un sale moment... et elle vient me le rappeler ? Elle se fiche de moi, ou quoi ?

Suffoquée, je reste coite. Elle poursuit :

— Y a une projection privée à 11 h 30, aujourd'hui, tu sais, à Télé 31, pas loin de

1. Voir les volumes n° 27, *Prince hip-hop*, et n° 28, *Pile ou face*.

Noverre, ça te dirait d'y aller avant le cours de Canoppi ?

— NON !

Et je lui raccroche au nez.

Je n'y comprends plus rien. Manque de tact ou cruauté mentale ? Après avoir été bien contente que je la console, Zita cherche à m'en mettre plein la vue avec *son* film... quitte à me faire de la peine !

Elle n'a pas de cœur, Zita.

La seule chose à comprendre, la voilà !

Je me mets à pleurer.

— Le film... le film où j'étais avec... Mo... elle veut que je le voie... pour que je l'admire... elle... *à ma place.*

— Mais non, mon chou, me console Odile, elle n'a pas réfléchi avant de t'appeler, c'est tout.

— Tu parles ! C'était encore un coup de sa jalousie, plutôt !

Même si Zita veut se débarrasser de son (ignoble) défaut, elle ne peut lui résister... et vas-y la vipérie !

— Il y a peut-être du vrai dans ce que tu dis, Nina, remarque Papa.

Il me donne raison ? Ça alors ! Il se mettrait enfin à ma place ? La stupeur tarit mes larmes, d'un coup.

— À ton âge, j'ai eu des problèmes du même genre, murmure-t-il, à cause d'un autre garçon du foyer[1]...

Soudain, le cœur pincé par la pitié, je crois le voir à cette époque-là. À mon tour, je me mets à la place de Papa, quoi ! Pauvre petit Olivier Fabbri... !

Et je me jette dans ses bras.

Pour moi, à cet instant, il est à la fois mon père et l'enfant mal aimé qu'il fut.

— Tu sais, ajoute-t-il d'une voix cassée, la DDASS a même dû me déplacer pour m'écarter de « l'autre ».

— Mais, moi, je n'aurai pas cette chance !

Je m'accroche au cou de Papa.

— Elle me colle, Zita ! Elle me suit à tous les cours ! Du coup, un jour, je crois qu'elle m'aime bien... et le lendemain, je suis sûre du contraire... tu vois ?

1. Olivier Fabbri a été un enfant « assisté ».

— Oui, ma Bichette.

— Une situation très déstabilisante pour ta fille, intervient Odile. Surtout après « l'attitude » de Mo.

— J'ai bien compris, répond Papa.

Il me serre contre lui, je ferme les paupières avec l'impression d'être redevenue petite. Ça me rappelle combien on était proches, lui et moi, après la mort de Maman. On était tellement perdus dans le grand vide qu'elle avait laissé, on y avait tellement froid ! Et on essayait de se tenir chaud, tous les deux.

Y pense-t-il, lui aussi, à ces moments-là ?

Il me berce maladroitement, puis (ai-je bien entendu ?) il chuchote soudain :

— Je refuse que ma fille soit aussi malheureuse que je l'ai été.

Et s'adressant à Odile :

— Bon, écoute, chérie, s'écrie-t-il, téléphone à Mme Camargo et informe-toi des conditions... euh... pour le ballet !

OoooooooooooooooooooooH !

La joie m'étrangle. Impossible de sortir un mot sensé.

Alors, si on n'arrive pas à parler, qu'est-ce qu'on fait ? On danse !

Et j'offre à mon père ma plus belle *arabesque*...

Pour lui dire merci...

Pour lui dire je t'aime !

Épilogue

Maintenant, je monte à pied vers Noverre avec une énergie de chasseur alpin — le bonheur. OK, je vais devoir m'excuser auprès de Mme Canoppi et prendre son cours...

BOF !

Ce qui compte ?

Je serai à Madrid le week-end prochain : Émile avait raison ! Odile n'a pas traîné : elle a appelé Mme Camargo et... banco !

J'ai l'impression d'avoir des ailes aux talons !

Mais, au feu, les voitures ayant le passage, bien obligée de m'arrêter ! J'en profite pour jeter un vague coup d'œil au kiosque à journaux.

Ça alors ! Encore ?

Le prince Pavel !

Sur la couverture d'un magazine bariolé de photos, je vois la sienne (celle que je cherchais, je le comprends soudain). Deux lignes la légendent ainsi :

« *Le jeune Vsevolojski a été choisi pour interpréter le rôle principal du ballet* La Danseuse et le Prince. »

Quel coup au cœur !

Alors...

Je vais rencontrer le prince Pavel ?

Et, les joues rouges, j'achète le journal, le range vite au fond de ma sacoche.

Le montrer aux autres filles ?

Pas question !

FIN

Table des matières

Tu as aimé *La danseuse et le prince ?*
Découvre cet extrait de
DANSE ! nº 37 :
Paparazzi story

[À paraître en mai 2007]

Il nous a filmés avec son portable...

— J'en suis sûre, je chuchote.

— Mais il n'a pas le droit !

— Tu crois que ça le gêne ? Regarde-le, ce type !

Il a une de ces tronches ! Impossible d'employer une autre expression : on dirait un méchant de bande dessinée avec sa barbe de trois jours et son sparadrap sur l'arcade sourcilière.

— On y va, alors, chuchote le garçon.

Soudain, j'ai envie de rire. S'il croit être le plus malin, l'autre, le voilà mal parti ! Il n'a ni l'endurance ni la légèreté des danseurs, ça, c'est clair ! Une mauvaise surprise l'attend !

Et nous filons !

On zigzague entre les tables du café.

Des flèches, des météores, des éclairs... ou mieux encore ! Il doit en chercher des comparaisons, l'affreux, et ne pas trouver la bonne !

On l'a semé.

Main dans la main, on s'engouffre dans une ruelle noire.

Personne. Alors, on s'arrête. À bout de souffle. Et, dans la nuit, on se regarde de tout près...

*

« Nina voulut fuir.

Ô terreur ! elle se sentit retenue par sa robe ; c'était le borgne qui s'était emparé d'elle.

— Que venez-vous faire ici, madame ? s'écria-t-il d'une voix de tonnerre ; répondez ! Qu'avez-vous vu ?

La pauvre enfant, pâle comme une morte, pouvant à peine se soutenir, dit d'une voix faible :

— Laissez-moi, je n'ai rien vu, je ne veux rien voir.

Alors le borgne la regardant d'un air terrible, s'écria :

— Personne ne sait ce que contient cette chambre redoutable... [1] »

★

Et tout ça, on va le danser !

Une seconde, je cesse de lire pour imaginer les pas — avant qu'on me les impose ! Même, lâchant le vieux bouquin, je saute de mon lit pour les inventer...

Je tourne, je ploie, je développe la jambe, puis toute rabougrie, je mime la terreur, mais...

Comment rester belle en ayant peur ?

Comment être crédible en restant belle ?

Ouille ! On s'en pose, des questions, lorsqu'on interprète un rôle...

★

1. Texte tiré des *Mystères du grand Opéra*, de Léo Lespès (1843), réédité par les Éditions France-Empire en 1980.

Aujourd'hui, *ils* nous attendent devant la sortie des artistes. L'un tend un micro, l'autre brandit un appareil numérique, le troisième... Bon sang ! c'est celui au portable !

— Juste un mot... !

— *Unas palabras...*

— *Please !*

— Et vous, mademoiselle ?

— *¡ Señorita, por favor... !*

— Allez, Miss Fabbri ! Vous avez bien quelque chose à nous dire ?

Dépassée ou effrayée, je ne sais pas, je riposte :

— Oui ! Je me plaindrai à mon père.

Ça jette un froid.

Le garçon m'entraîne à toute allure. Au passage, il en repousse un ou deux.

— Vous allez nous laisser tranquilles, oui ?

Une fois de plus, on part en courant.

Est-ce que ce sera toujours comme ça, avec lui ?

[...]

Danse !

par
Anne-Marie Pol

1. Nina, graine d'étoile
2. À moi de choisir
3. Embrouilles en coulisses
4. Sur un air de hip-hop
5. Le garçon venu d'ailleurs
6. Pleins feux sur Nina
7. Une Rose pour Mo
8. Coups de bec
9. Avec le vent
10. Une étoile pour Nina
11. Un trac du diable
12. Nina se révolte
13. Rien ne va plus !
14. Si j'étais Cléopâtre...
15. Comme un oiseau
16. Un cœur d'or
17. À Paris
18. Le mystère Mo
19. Des yeux si noirs...
20. Le Miroir Brisé
21. Peur de rien !
22. Le secret d'Aurore
23. Duel
24. Sous les étoiles
25. Tout se détraque !
26. La victoire de Nina
27. Prince hip-hop
28. Pile ou face
29. Quand même !
30. Un amour pour Nina
31. Grabuge chez Camargo
32. Nina et l'Oiseau de feu
33. Le triomphe de Nina
34. Accroche-toi, Nina !
35. La Danse ou la vie ?

Les secrets de Nina (hors-série)
Les ballets de Nina (hors-série)

Cet ouvrage a été composé par
PCA - 44400 REZE

Impression réalisée sur Presse Offset par

BRODARD & TAUPIN

GROUPE CPI

La Flèche (Sarthe), le 11-01-2007
N° d'impression : 38263

Dépôt légal : février 2007

Imprimé en France

12, avenue d'Italie

75627 PARIS Cedex 13